かえっても　どうか
おかあちゃんに
おこられませんように

なぞのじどうはんばいき

さとうまきこ　作　　　原ゆたか　絵

みっくんは、ひとりで
こうえんの　すなばで
あそんでいました。
「やっぱり、
ひとりじゃ
つまんないや。
ジュース《じゅーす》でも
かって

かえろうっと。」
ズボン《ずぼん》の
ポケット《ぽけっと》には、
おかあさんから
もらった
かんジュース《じゅーす》だい
百《ひゃく》十《じゅう》えんが
はいっています。

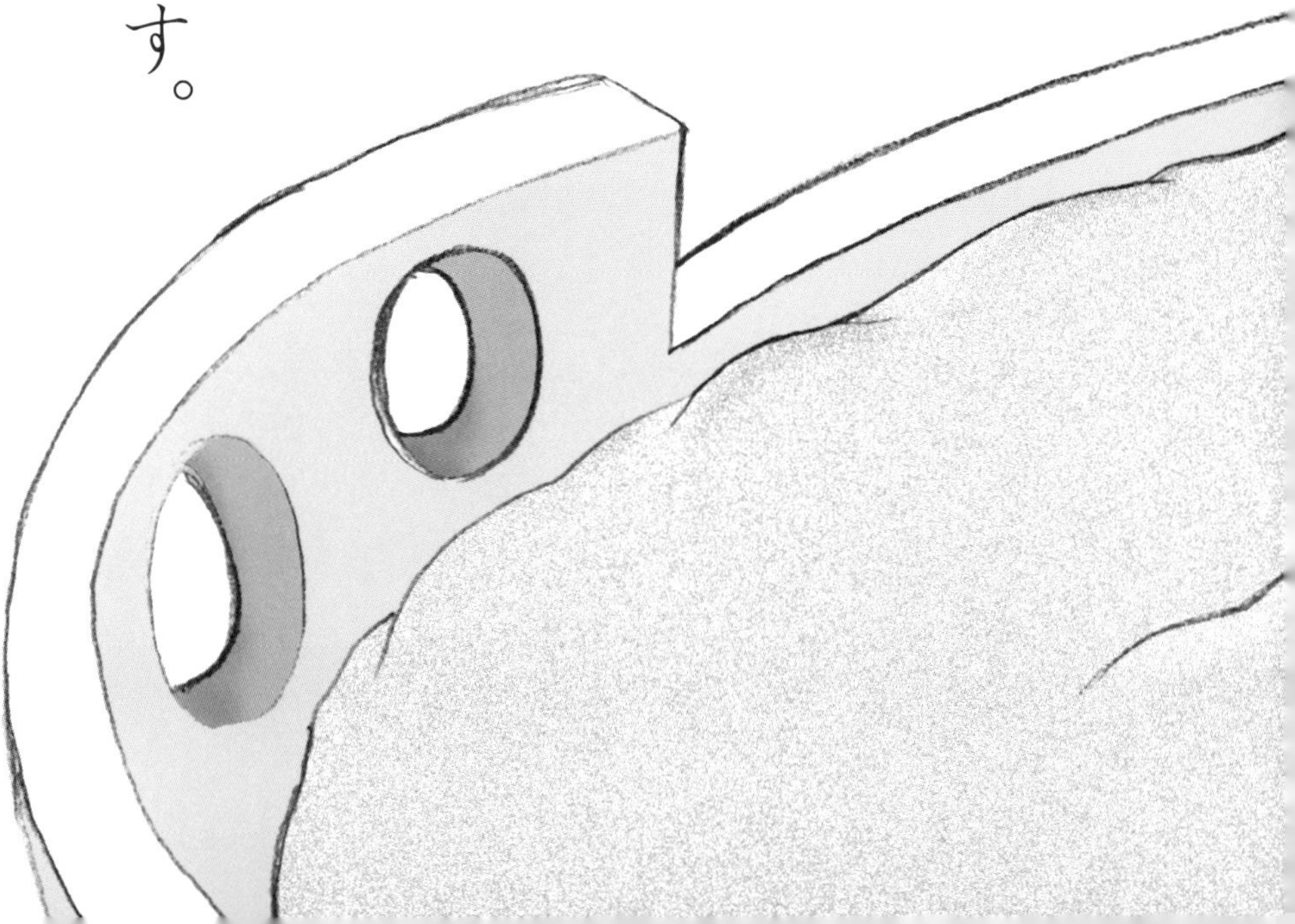

こうえんを　でた　みっくんは、しずかな
ゆうほどうに　はいっていきました。
しばらく
あるいて
いくと、

「あれ？ こんな
ところに、じどう
はんばいきが あるぞ。
ちょうど いいや。 えーと、
なにに しようかな。」
ポケット《ぽけっと》から おかねを
とりだして、じどうはんばいきに
いれようとして、

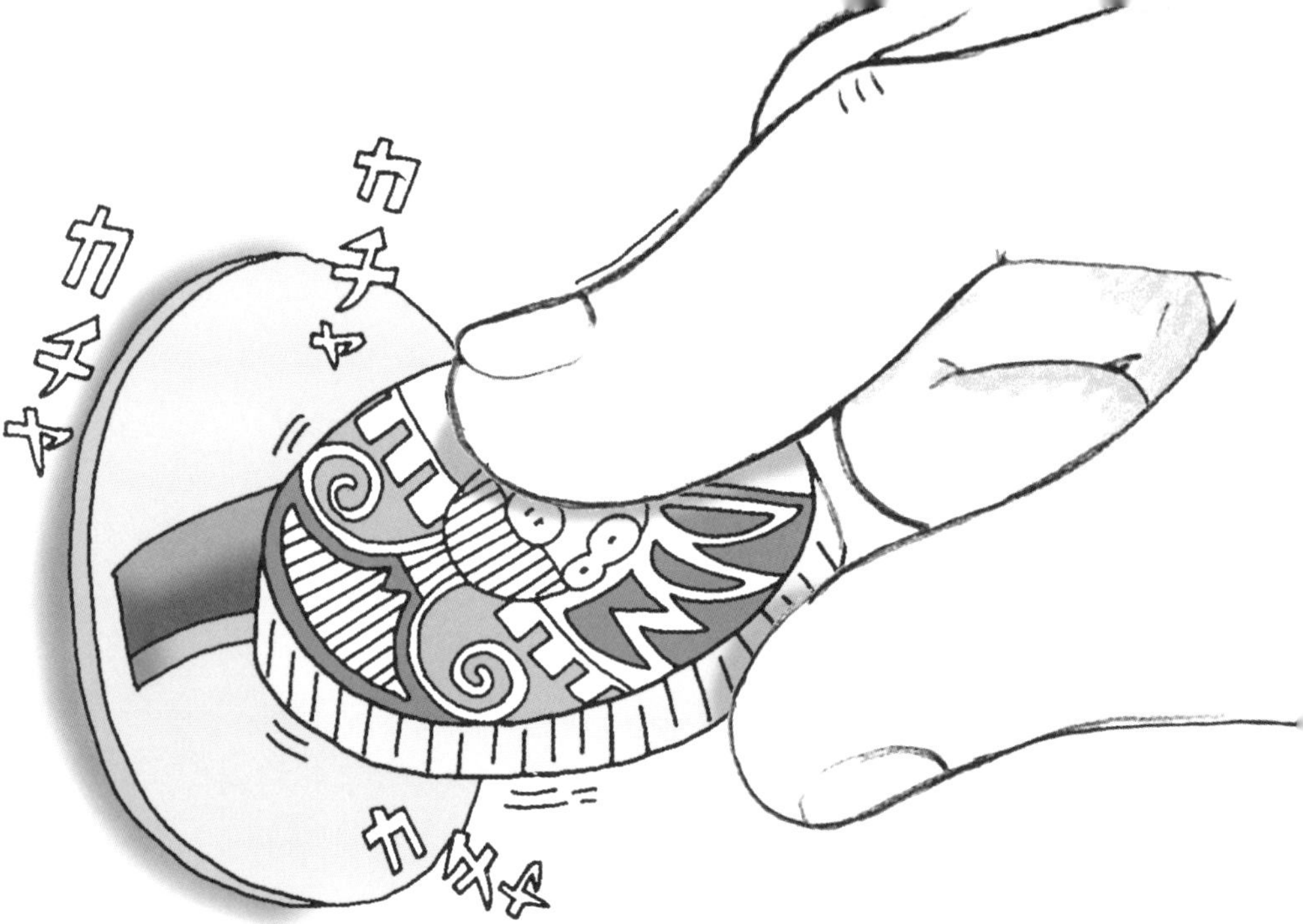

「いけない。
まちがえちゃった。」
それは、さっき
こうえんの　すなばで
ひろった　びんの　ふた
でした。きんいろで、
ふしぎな　もようが
ついています。

こんどは、ちゃんと
おかねを　いれて、
あおリンゴジュース《りんごじゅーす》の
ボタン《ぼたん》を　おしました。

でも、
なんにも
でて
きません。
もう　いっぺん
おしても、だめ。

「おかしいなあ。うりきれなら、
うりきれの　ランプ《らんぷ》が　つくはずだぞ。」
そこで、となりの　つぶつぶオレンジ《おれんじ》
ジュース《じゅーす》の　ボタン《ぼたん》を　おしてみましたが、
「やっぱり　だめだ。きっと　こわれて
いるんだ。ちえっ。」
みっくんは、おかねが　もどってくる
レバー《ればー》を　おしました。

「げっ。
おかねも
でてこない。
そんなあ。」
ガチャガチャ《がちゃがちゃ》、
レバー《ればー》を
おして
いると、

まず、十《じゅう》えんだまが
ぽとんと　でてきました。
つづいて、百《ひゃく》えんだまが
いきおいよく　とびだして、
じめんを　ころころ、　ころころ……。
「あっ。」
百《ひゃく》えんだまは、　ポチャン《ぽちゃん》と
どぶに　おっこちてしまいました。

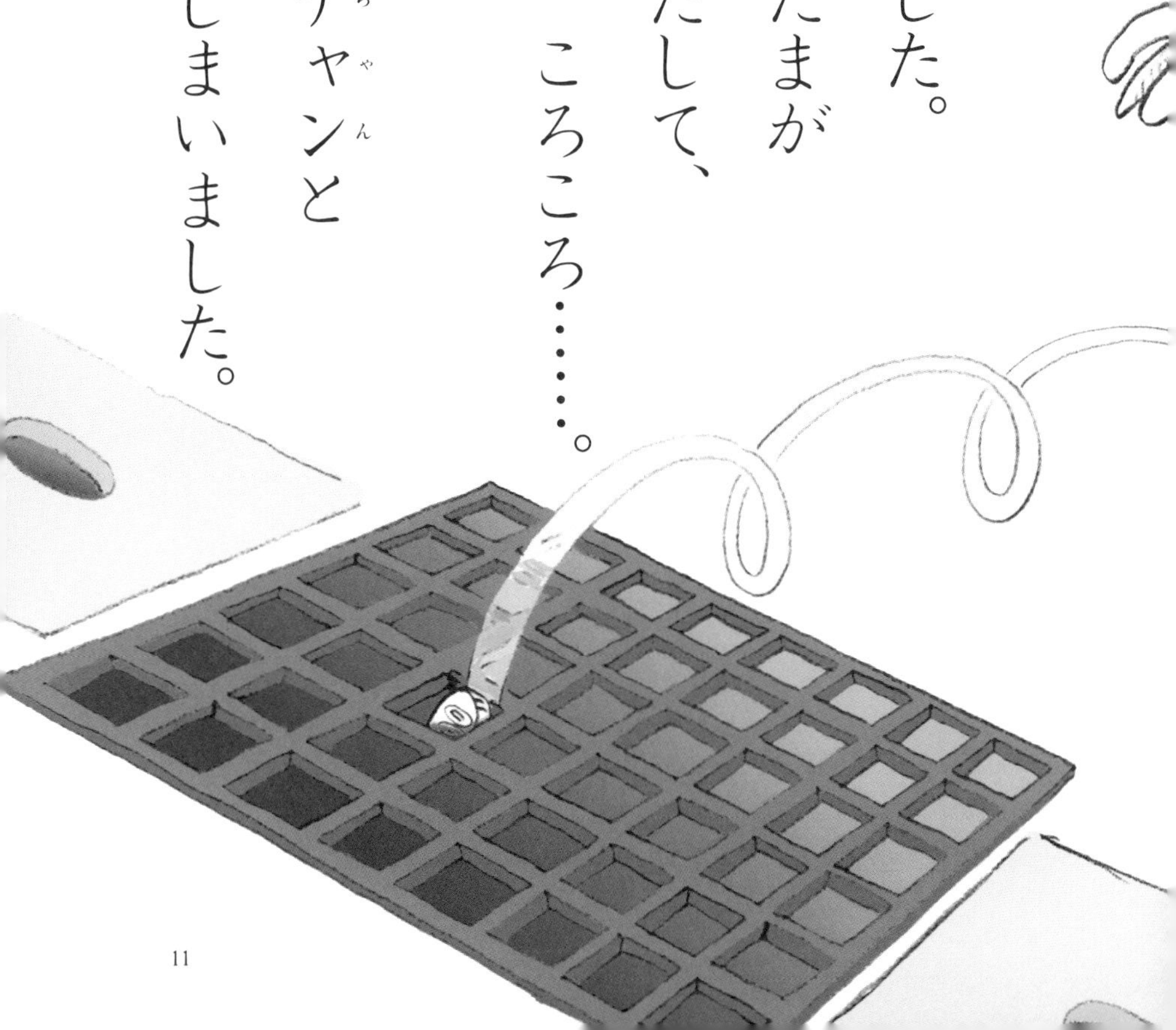

「おまえのせいだぞ。どうしてくれるんだよ。十《じゅう》えんじゃ、なんにもかえないじゃないか。」

みっくんは、じどうはんばいきをけっとばしました。

そして、ふと　くびを
かしげました。
「あれぇ？　こいつ、
こんな　ちかくに
たっていたっけ？
まあ、そんな　こと、
どうでも　いいや。　はーっ。」
と、ためいきを　ついたとき、

ゴットン
なにかが　おちる
おとが　しました。
え？

やったあ！
ジュース《じゅーす》が
いまごろ
でてきたんだ

なに、これ?
いしなんか
いらないよ
みっくんは　ぽいっと
いしを　なげすてました。

すると、またまた、
ゴト!
ん?
ごろごろ
ドン

こんどこそ　ジュース《じゅーす》と
おもったら、
げーっ、
ぼくの
きらいな
さかなの
かんづめ

こんなもの、
いらないよ！
みっくんは、
かんづめを
なげすてました。

すると、
ストン
こんどこそ たのむよ
てを いれた とたん、
フギャ〜

「いてててて！」
くろネコ《ねこ》が　でてきて、
みっくんの　てを
ひっかくと、
どこかへ
にげていって
しまいました。

「いいかげんに　しろよ！
どうせ　だすんなら、
おかしとか
マンガ《まんが》とかに　してよ。」
でも、じどうはんばいきは
だまったまま。
「やっぱり　だめか。」
と　おもった　そのとき、

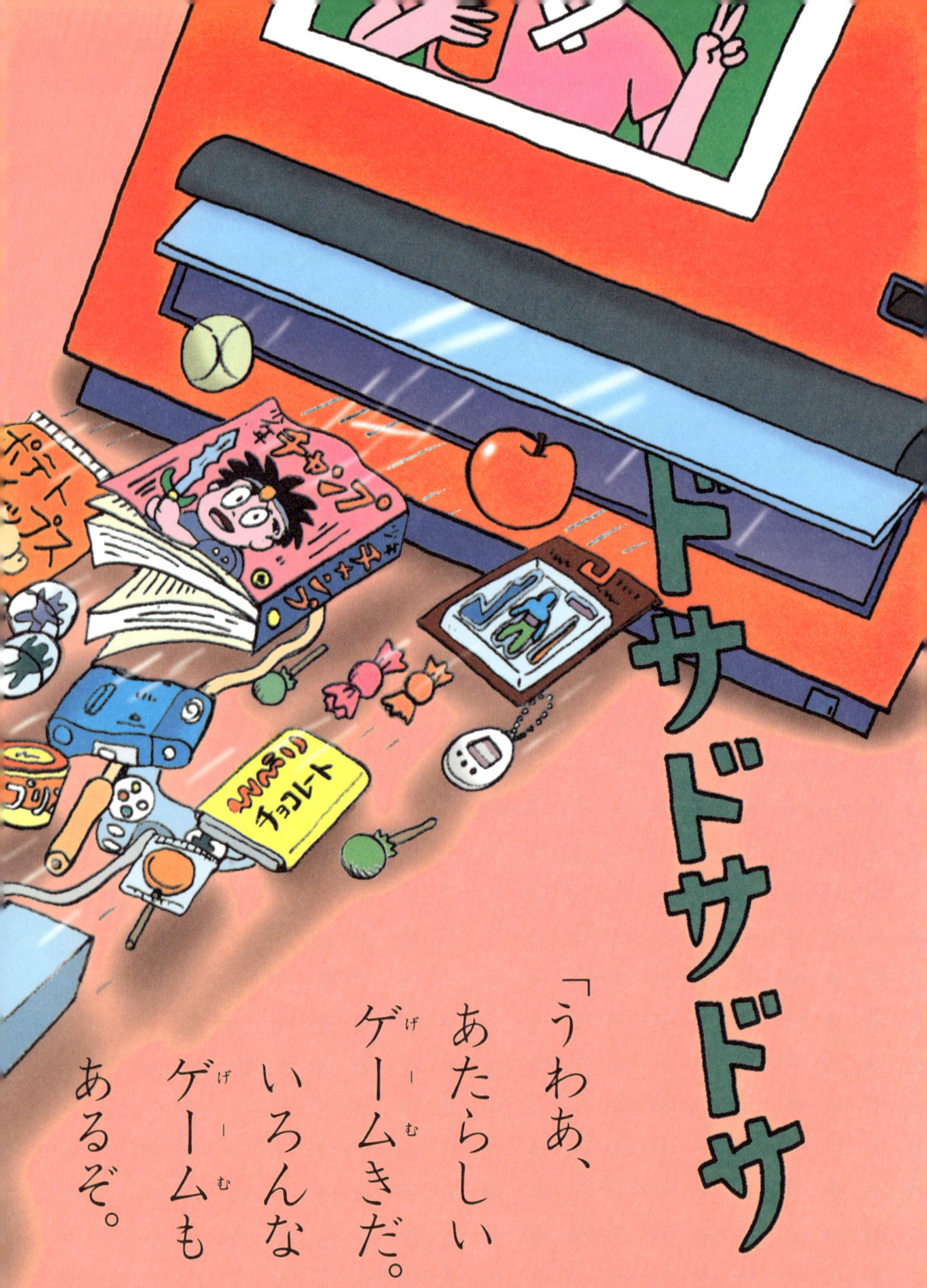

「うわあ、
あたらしい
ゲーム《げーむ》きだ。
いろんな
ゲーム《げーむ》も
あるぞ。

うひょー。
〈しょうねん
チャンプ《ちゃんぷ》〉の
こんしゅうごうだ。
おかしも　いっぱい。
じどうはんばいきさん、ありがとう。」

そこで、ぜんぶ　かかえて　いえに
かえると、おかあさんが、
「みっくん。それ……、どうしたの？」
「それがさあ。」
にこにこしながら、
みっくんは　いいました。
「じどうはんばいきに
くださいって

いったら、だしてくれたんだよ。」
「なに、ばかな　こと　いってるの。だれに
もらったの。ほんとうの　ことを
いいなさい。」
「だから、じどう
はんばいきが……」
「いいかげんに
しなさい！」

いま　すぐ、　かえしてきなさい。
さもないと、　もう　うちに　いれないわよ

おかあさんは、
こわい　かおで
いいました。
「はあい。」
しかたなく
みっくんは、

もってかえってきた　ものを　ぜんぶ
かかえて、また　いえを　でました。
「あーあ。つまんないの。いちどで
いいから、この　ゲーム《げーむ》を
やりたかったなあ。」
みっくんは　マンガ《まんが》を
よみながら、のろのろ
あるいていきました。そうして、

ゆうほどうまで　くると、じどうはんばいきの
まえに、くろネコ《ねこ》を　だいた
おとこのこが　たっています。
「あの　ネコ《ねこ》……。さっきの　ネコ《ねこ》だ。」
みっくんは、きの
かげから　ようすを
みていました。

おとこのこは、
じめんから
なにかを
ひろいあげ
ました。

「あれは、さっき、
ぼくが すてた
いしだ。あっ、かんづめも
ひろったぞ。どうするんだろう。」
おとこのこは、きょろきょろっと あたりを
みまわしました。それから、おかねも
いれずに、かんコーヒー《こーひー》の ボタン《ぼたん》を 三《さん》かい、
ウーロン《うーろん》ちゃの ボタン《ぼたん》を 五《ご》かい、

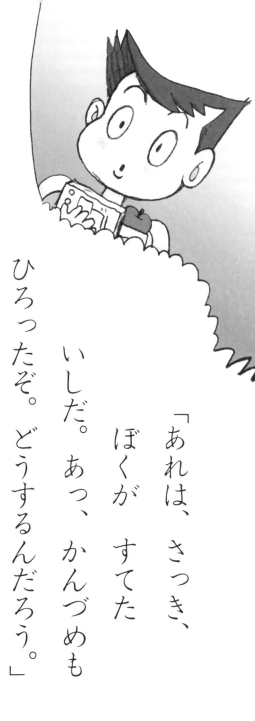

おしました。
すると――、

じどうはんばいきから、さっと　まぶしい
こうせんが　さしてきました。
おとこのこは、みるみる　ちいさく
なり、みえなくなってしまいました。
「あれ？　どこに　いったん
だろう。」
みっくんは、じどう
はんばいきに　かけよりました。

そして、おとこのこと
おなじように、
かんコーヒー《こーひー》の　ボタン《ぼたん》を
三《さん》かい、ウーロン《うーろん》ちゃを
五《ご》かい、おしてみました。
「ま、まぶしい……。」

それから、 つぶった めを
あけると、
「な、な、な、なんだ、
こりゃあ。」
たかい たかい
かべが、そびえています。
ぐっと そっくり
かえって みあげると、

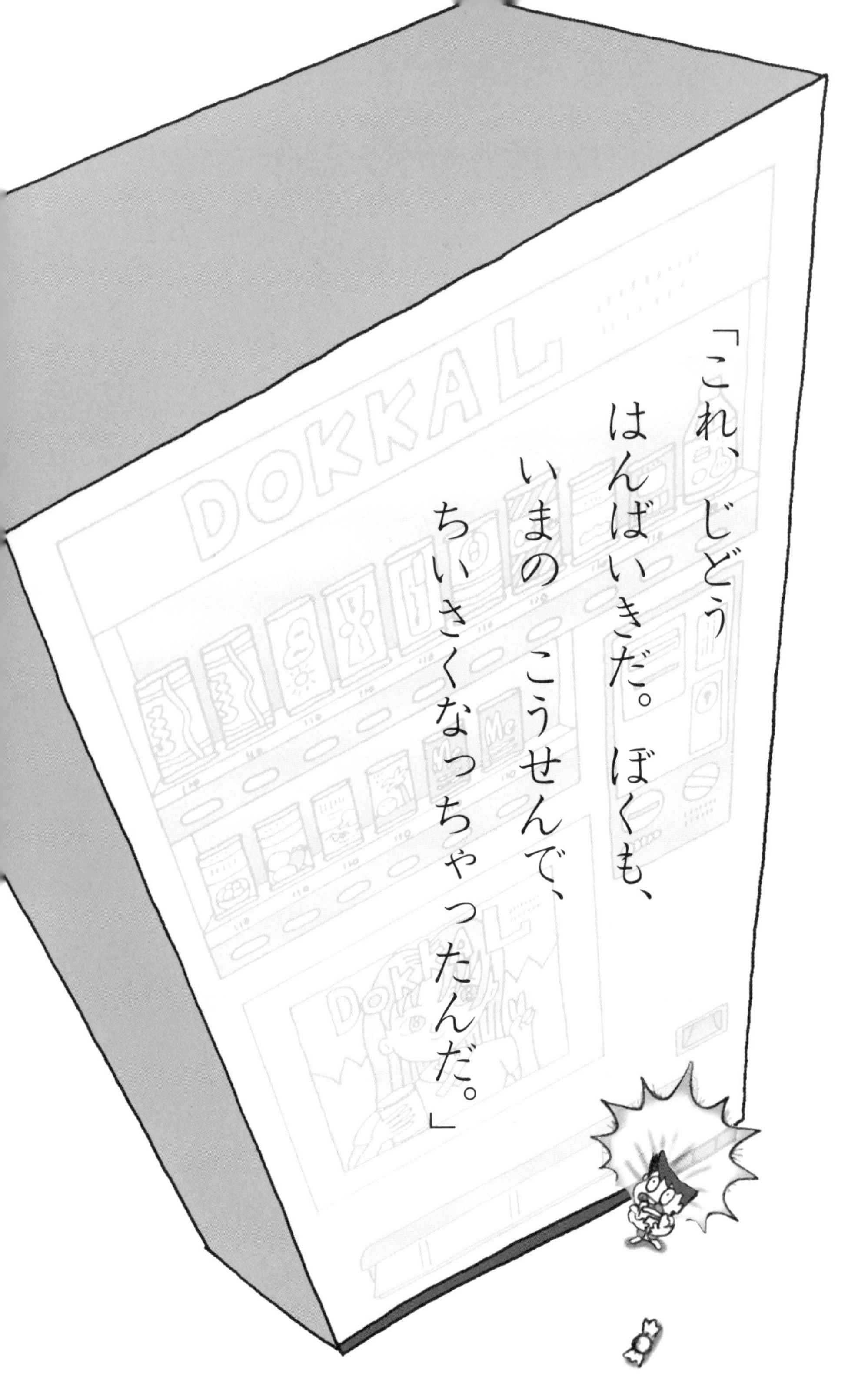

「これ、じどう
はんばいきだ。ぼくも、
いまの　こうせんで、
ちいさく　なっちゃったんだ。」

そのとき
みっくんは、
めのまえに　ドア《どあ》が
あることに　きが
つきました。
そうっと　ドア《どあ》を
あけてみると、

「あっ、エレベーター《えれべーたー》だ。」
おっかな びっくり、みっくんは
のりこみました。
エレベーター《えれべーたー》は うえへ うえへ。
やがて ガクン《がくん》と とまり、ドア《どあ》が
あきました。

エレベーター《えれべーたー》を　おりると、
そこは、ドア《どあ》が　たくさん
ある　まるい　へやでした。
「なんで、じどう
はんばいきの　なかが
こう　なってるの？」
そのとき、ドア《どあ》の
ひとつが　シュッ《しゅっ》と　あいて、

みっくんは、ちかくの
ドア《どあ》から　ろうかへ　とびだしました。

「きみ、まちたまえ。」

かいぶつも、ドスドス《どすどす》
おいかけてきます。

「わー、いきどまりだ。どうしよう。」

ところが、あしもとの　ゆかが

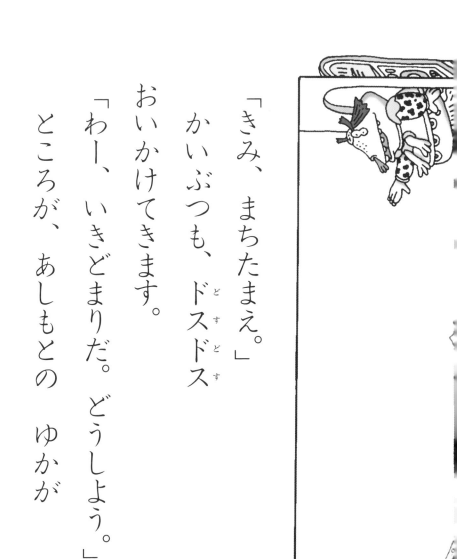

せりあがり、みっくんは
うえへ　うえへ。

そこは、やねが　ドーム《どーむ》に
なっている　ひろい　へやでした。
おとこのこが　ふたり、
おんなのこが　ひとり、

くろネコ《ねこ》と　あそんで　います。
さっき、そとで　みかけた
おとこのこも　います。
みっくんは、おおごえで
よびかけました。
「おーい、たいへんだよ。
したに　かいぶつが
いるんだ。いっしょに　にげようよ。」

「かいぶつだって？」

と いったのは、さっきの おとこのこ。

「どんな かいぶつだい？」

「どんなって……。とにかく、みたことも
ないような かいぶつだよ。」

「へえ。」

「ほおお。」

「ふうん。」

三《さん》にんは、
かおを　みあわせて、
「それじゃあ、
こんなのは……」
「みたこと
あるかい？」
と、りょうてで
かおを　なでました。

「う、うわあっ。で、でたあ。」

とうとう　みっくんは、へなへなっと　すわりこんでしまいました。

「そんなに　こわがらないでよ。」

「かいぶつなんて、

ひどいや、
ひどいや。」
「ぼくたちから
みれば、きみの
ほうが　よっぽど
かいぶつみたいだよ。」
「き、きみたち、だれ？」
と　みっくんが　きくと、

「ぼく、チッティ《ちってぃ》。」
ネコ《ねこ》を　だいた
おとこのこが、いいました。
「ぼくたちは、アンドロメダ《あんどろめだ》
しょうがっこうの
一《いち》ねん一《いち》くみ一《いっ》ぱん。
三《みっ》かまえに
この　うちゅうせんで、

ちきゅうに　えんそくに
きたんだよ。」
「でも、うちゅうせんの
ままじゃ、めだつでしょ。
だから、そとがわを
じどうはんばいきに
かいぞうしたのよ。」
「――てことは、きみたち……」

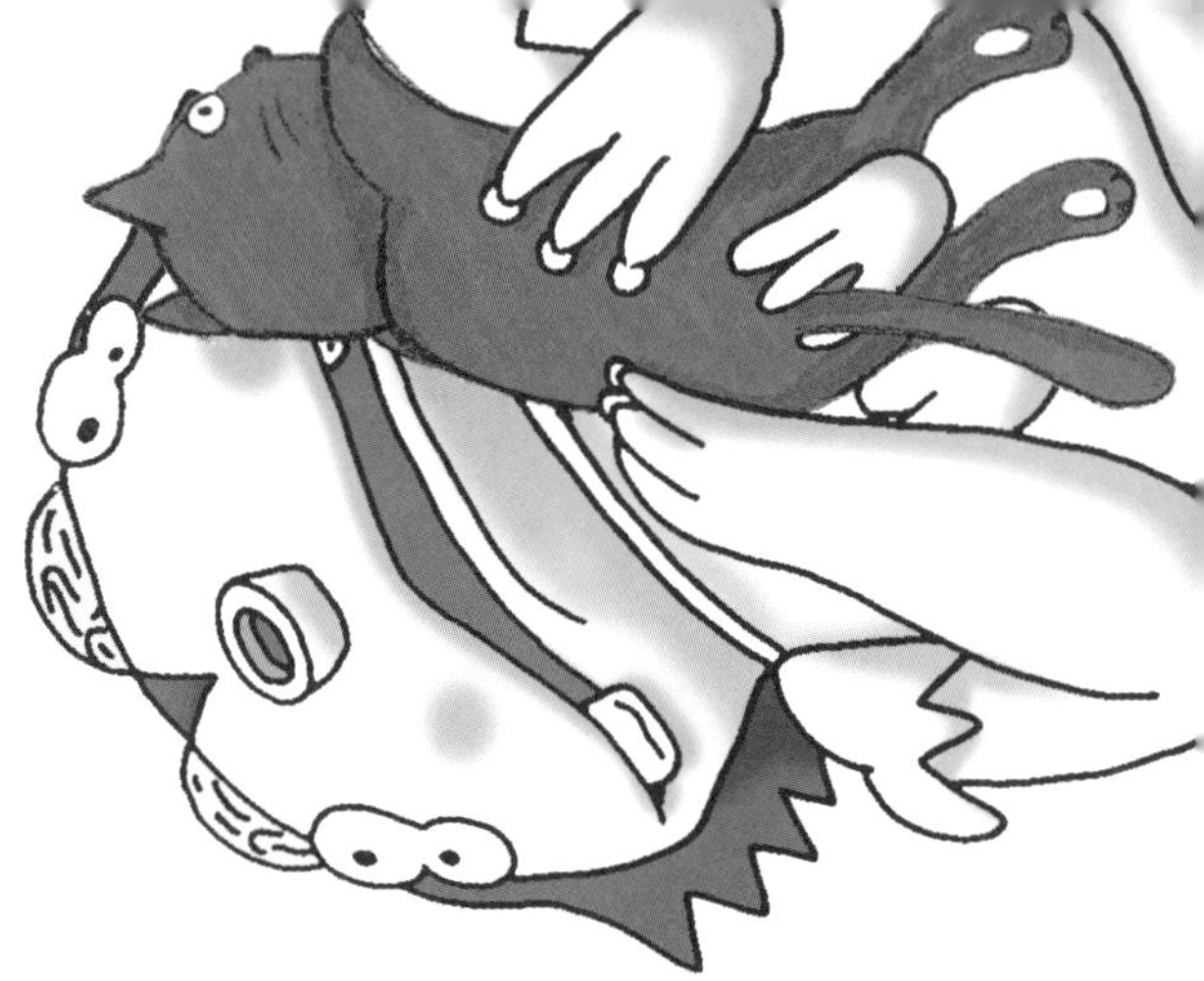

「うちゅうじん？」
「そ。」
みっくんの
しつもんに
みんなは
おおきく
うなずきました。
「そうだ。みっくん、ぼくの

ゲーム《げーむ》、かえしてよ。」
「あたしの　かんづめと
おかしも。
あれが　ないと、
じゆう
けんきゅうが
できないのよ。」
「じゆうけんきゅうって？」

「ぼくたちは、 ちきゅうの せいかつを
しらべて、がっこうで
はっぴょうすることに
なっているんだ。 ぼくの
じゆうけんきゅうは、
ペット《ぺっと》について。 それで、
のらネコ《ねこ》を ひろってきたんだよ。」
「ぼくは、 こどもの あそび。」

「あたしは、　ちきゅうの
たべもの。　もちろん、
にんげんに　ばけて、
かいものしたのよ。」
「そうだったのか。　しまった。
ぼく、　ぜんぶ　どっかに
おっことしちゃった。」
そのとき、

ゆかから
さっきの
かいぶつが、
「なんだ。
みっくん、
ここに　いたのか。」
「げげっ。また　でた！」
「あれは、ぼくたちの　たんにんの

ガマンダ《がまんだ》せんせいだよ。」
と、チッティ《ちってぃ》が
おしえてくれました。
ガマンダ《がまんだ》せんせいは、
みっくんが　おとした
ものを　ぜんぶ　ひろって、
もってきてくれました。

「ねえ、どうして　みんな、ぼくの
なまえを　しっているの？」
と　みっくんが　いうと、
ガマンダ《がまんだ》せんせいが、
「それはだな。」
リモコン《りもこん》の　ボタン《ぼたん》を　ピッピッピッ《ぴっぴっぴっ》。
すると、かべに　おおきく
みっくんの　かおが

うつりました。

なまえや　としなども　はいっています。

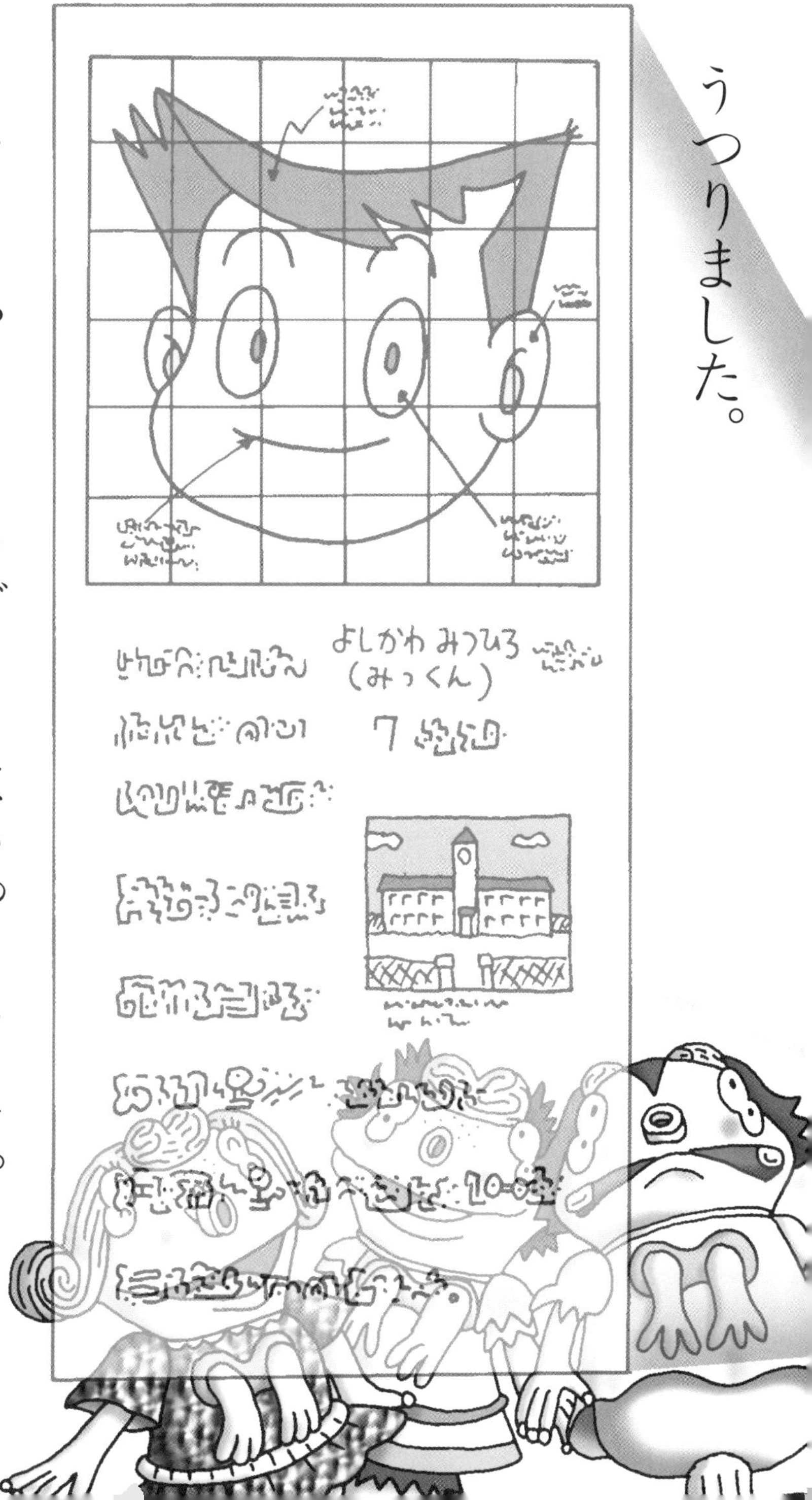

「ところで、みっくん、
こういう　ものを
もっているだろう。」
ピッ《ぴっ》。
「あっ。
こうえんで
ひろった
びんの　ふただ。」

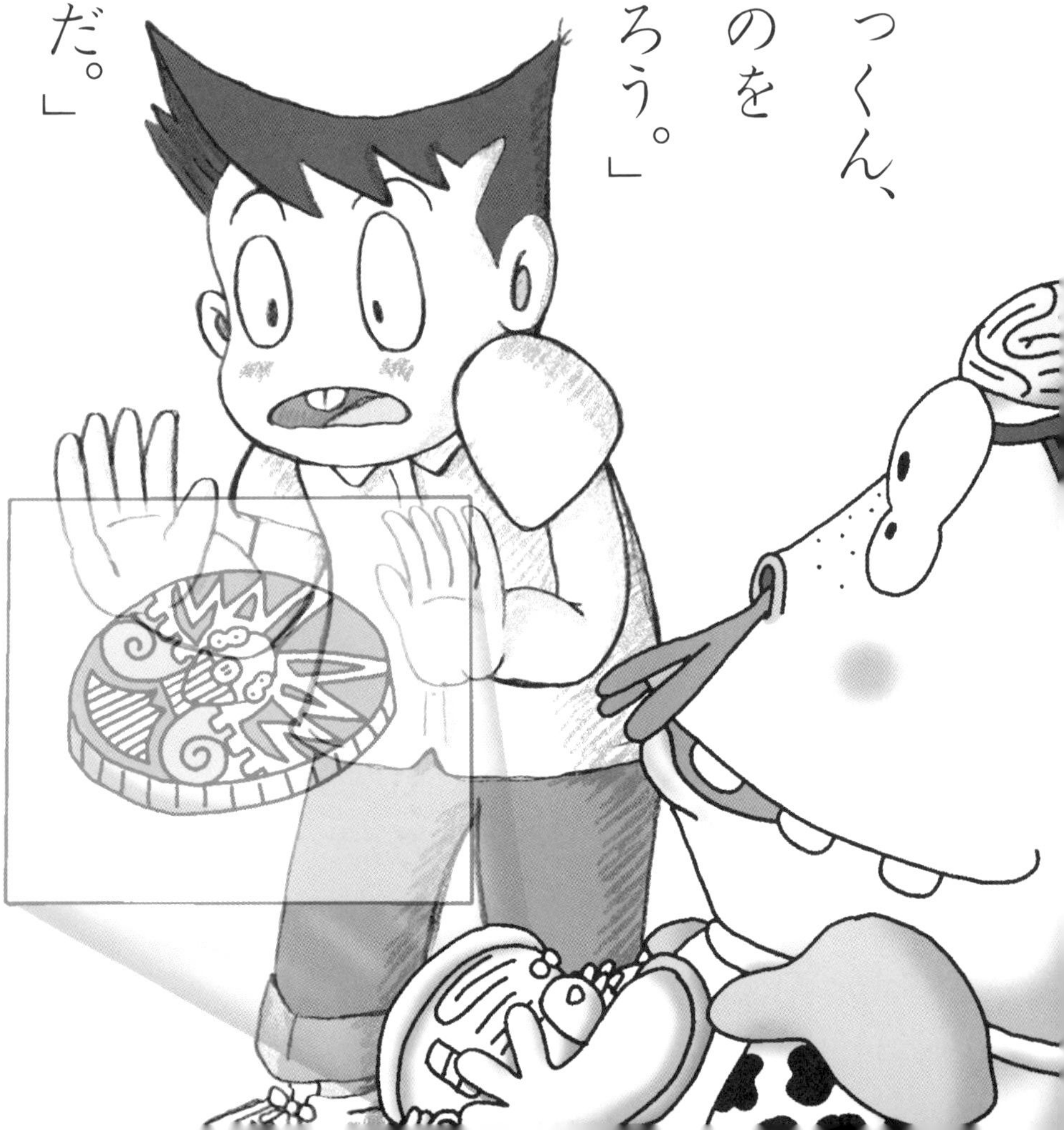

「びんの　ふた？
とんでもない。あれは、
この　うちゅうせんの
メインエンジン《めいんえんじん》の
しゅつりょくパワー《ぱわー》の……。
とにかく、だいじな　ぶひん
なんだ。あれが　ないと、
うちゅうせんが　とべないんだよ。」

「ちゃくりくの　ときに
なくなって、こまって
いたんだよ。きみが
もっていることが
わかったので、
コンピューター《こんぴゅーたー》で
いろいろ　しらべさせて
もらったんだ。そうしたら、

きみの　ほうから、
この　うちゅうせんに
きてくれた　というわけさ。」
「へーえ。そんなに　たいせつな
ものだったの。」
みっくんは、ズボン《ずぼん》の
ひだりの　ポケット《ぽけっと》に
てを　つっこみました。

「はい。」
「おお、これだ、これだ。みんな、
これで、うちに　かえれるぞ。」

そこへ、また　ゆかから

おんなのこが　あらわれました。

「せんせい、たいへんよ。

また　ひとり、ジュース《じゅーす》を
かおうとして、おかねを
いれちゃったの。はやく　きて。」

「よしきた。」

「みっくんも、おいでよ。」

チッティ《ちってぃ》が　いいました。

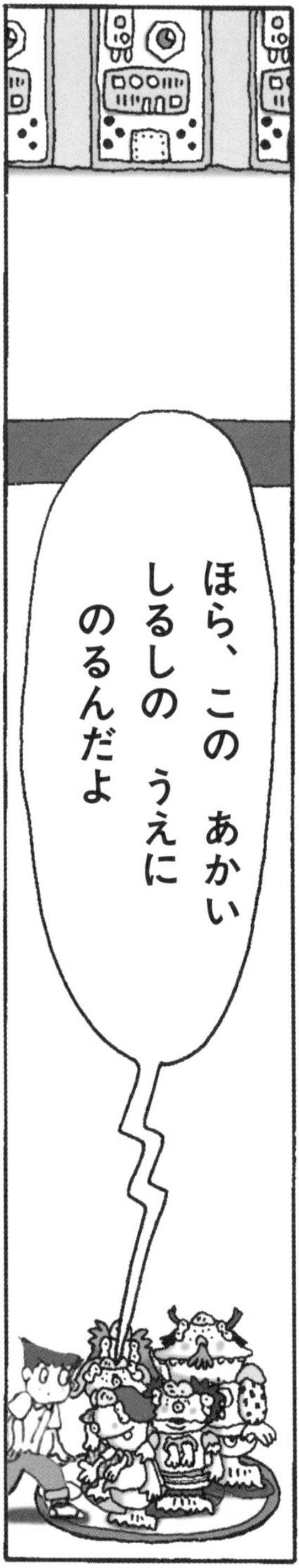

ついた ところは、
うちゅうせんの
そうじゅうしつ。

この うちゅうせんの
いどう しゅだんの
ひみつ

「そとから
みると、 ここは
みほんの
ジュース《じゅーす》が
ならんでいる
ところなんだよ。
ほら みてごらん。」

チッティ《ちってぃ》が、 そとを ゆびさしました。

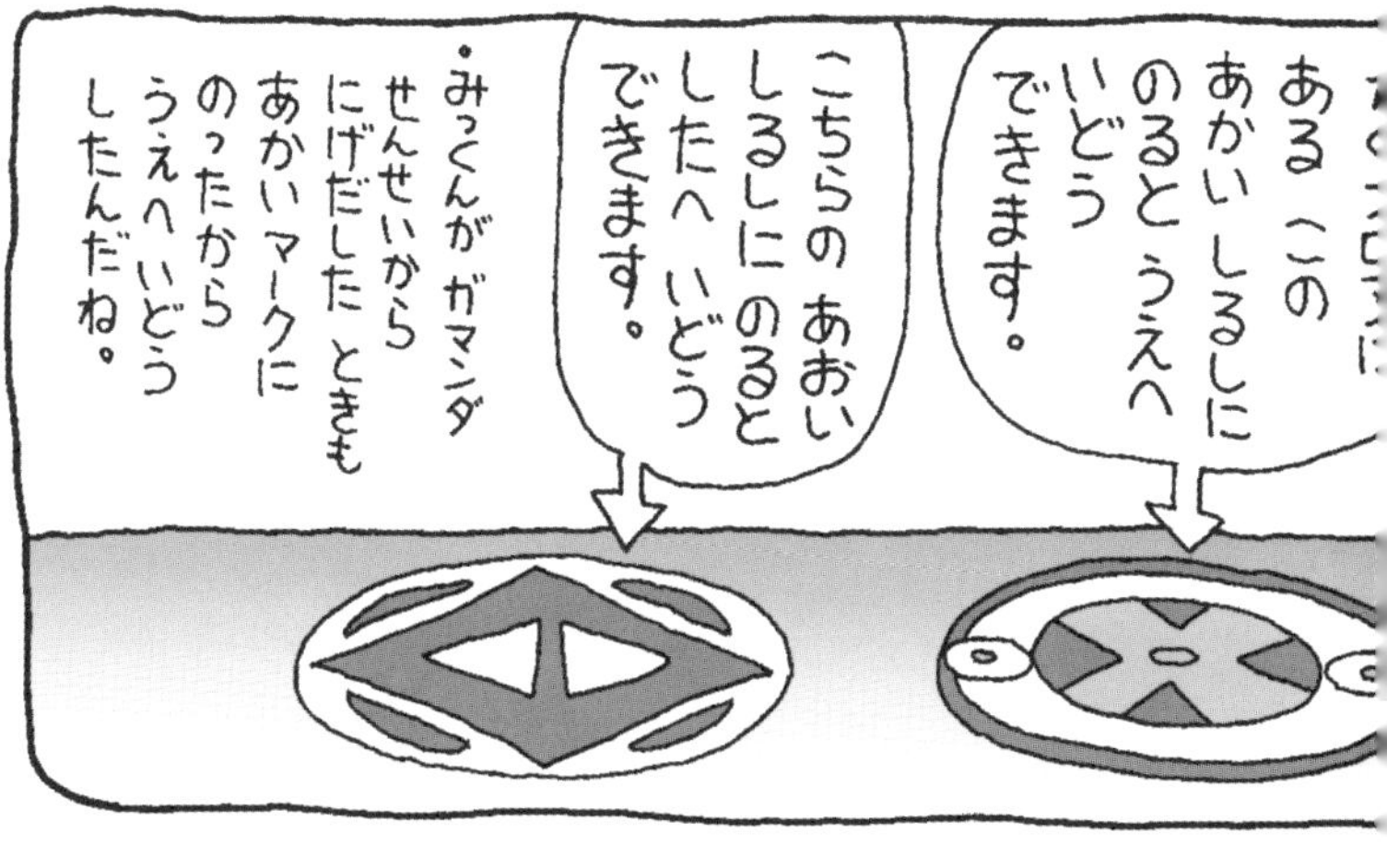

ある このあかい しるしに のると うえへ いどう できます。
こちらの あおい しるしに のると したへ いどう できます。
・みっくんが ガマンダせんせいから にげだした ときも あかい マークに のったから うえへ いどう したんだね。

ちょうど　おんなの　ひとが、おかねが
もどってくる　レバー《ればー》を　ガチャガチャ《がちゃがちゃ》
させているところです。
せんせいは、いそいで
百《ひゃく》えんだまと　十《じゅう》えんだまを
パイプ《ぱいぷ》に　おとしました。

100
10

チャリン《ちゃりん》　チャリン《ちゃりん》。
「やっと　もどってきたわ。
こわれてるなら、　こしょう
ちゅうの　かみを
はっといてよね。」
おんなの　ひとは、
ブツブツ《ぶつぶつ》　いいながら
いってしまいました。

「ふう、
うまくいった。」
せんせいは、
ハンカチ《はんかち》で
あせを
ふきました。

「みっくんの　ときは、たいへんだったよ。」
「おこって　じどうはんばいきを
けっとばすんだもん。」
「ちきゅうの　いしも、かんづめも
いらないって　いうし。」
「おもちゃを　だせとか、
マンガ《まんが》を　だせとか。」
くちぐちに　みんなが　いいました。

「ごめんね。」
と、みっくんが　あやまったとき、
ぐうっと　おなかが　なりました。
「なはは。あっちこっち　にげまわって、
おなかが　すいちゃった。」
「じゃあ、いっしょに
おやつを　たべようよ。」
「うん！」

どれも、ちょっと
へんだけど、
おいしいなあ
ソフト
フニャーリ
•おさらが
クリームマシーンに
なっている。つくり
たての おいしい
クリームが
どんどん
でてくる。
ニョロレート
•ちきゅうで
たとえれば
チョコレートあじの
そば みたいな
ものかな。
ジュース
ストロー
ドセイリング
•くちの なかで
ひとりでに
まわって
とけるので
らくちんな あめ。
•おすボタン
によって
ちがう あじの
ジュースが
でてくるよ。
ビッグバン
キャンディー
•くちに いれると
あまい けむりが
ひろがる。

おなかが
いっぱいに
なると、みんなで
あそぶことに　しました。

みっくんの　あたまの　なかでは、こう　みえている!!
みっくんは、まず　りったい　コンピューターゲーム《こんぴゅーたーげーむ》を させてもらいました。
そのめがねを かけるのよ
うわあ かいじゅうに なったみたい
このビル こわしても いいんだね
コントローラー
ビルを 6こ こわしたら ゲーム・オーバーです。
ちがうよみっくん ビルの たにまを はしりぬける むしを ビルを こわさないように つかまえる、こんちゅう さいしゅうゲームだよ
ガラガラ
ガラガラ

そして、つぎは ミニミニ《みにみに》うちゅうせん
レース《れーす》。じぶんで くみたてた
うちゅうせんを とばして
きょうそうするのだ!!
いろいろな パーツを くみあわせて スピードのはやい うちゅうせんを つくります。
ギューン
おもちゃなのに マッハの そくど。はやすぎて どこを はしっているのか みっくんには みえません。
みっくんの うちゅうせんは これらしい・
ギューン
でも うちゅうじん たちは めが いいので ちゃんと みえているらしい。

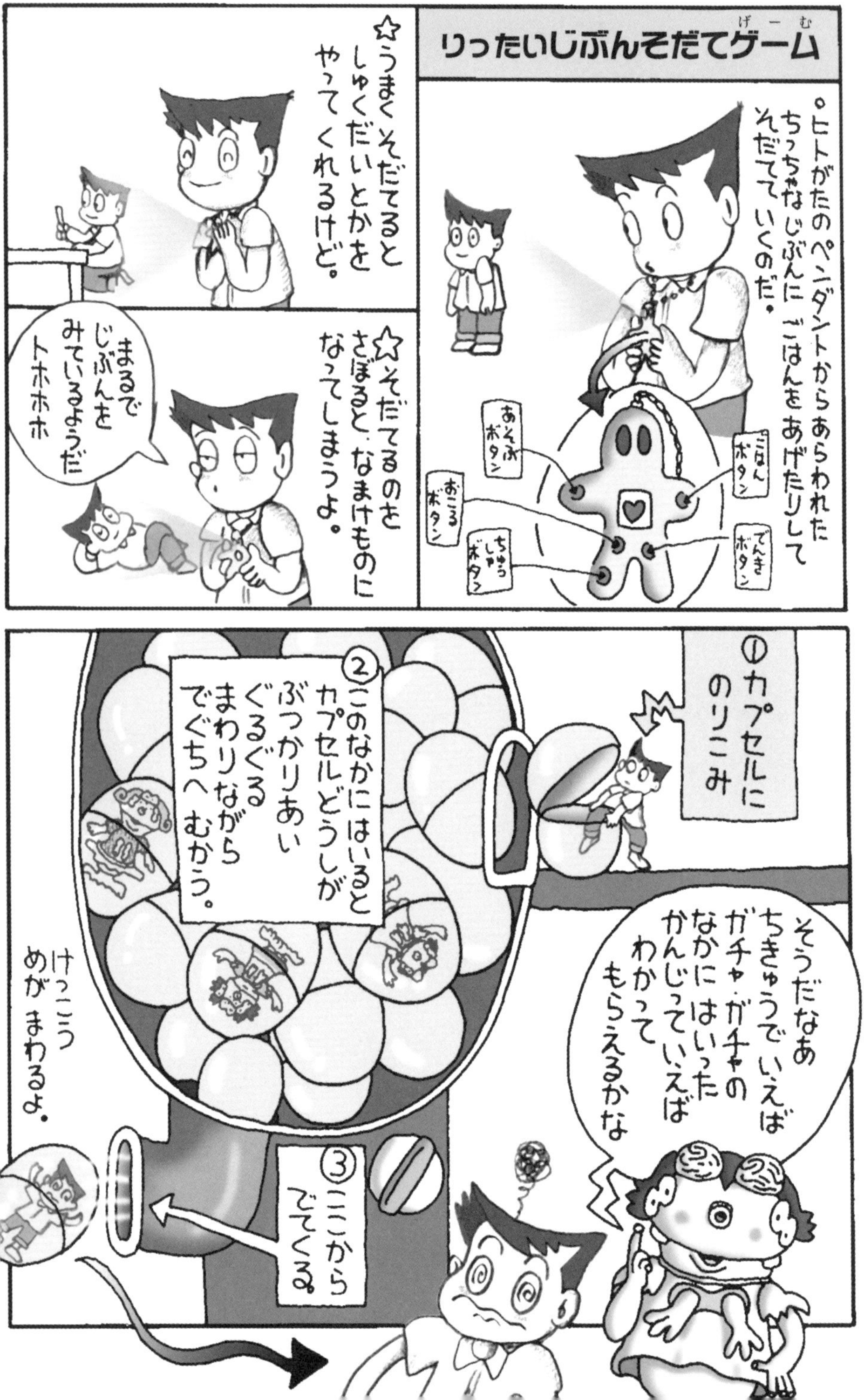
りったいじぶんそだてゲーム《げーむ》
◦ヒトがたのペンダントからあらわれたちっちゃなじぶんにごはんをあげたりしてそだてていくのだ。
ごはんボタン
でんきボタン
あそぶボタン
おこるボタン
ちゅうしゃボタン
☆うまくそだてるとしゅくだいとかをやってくれるけど。
☆そだてるのをさぼると、なまけものになってしまうよ。
まるでじぶんをみているようだトホホホホ
①カプセルにのりこみ
②このなかにはいるとカプセルどうしがぶつかりあいぐるぐるまわりながらでぐちへむかう。
そうだなあちきゅうでいえばガチャ・ガチャのなかにはいったかんじっていえばわかってもらえるかな
けっこうめがまわるよ。
③ここからでてくる。

むちゅうで
あそんでいる
うちに、こうえんの　五《ご》じの
チャイム《ちゃいむ》が　きこえてきました。

キンコンカンコーン
どうだ
え〜い
いけーっ
たいけつ
ロボットゲーム
がんばれ〜

「あ……。ぼく、もう
かえらなくちゃ。おかあさんに
おこられちゃうよ。」
すると、チッティ《ちってぃ》が かなしそうに
こんな ことを いいました。
「ぼくたち、こんやの 十《じゅう》二《に》じに、ちきゅうを
はなれるんだって。ほかの はんの
ひとたちも、しゅっぱつを

おくらせて、この
まちで　まってて
くれているんだよ。」
「せっかく　ともだちに
なれたのに……。」
でも、みっくんは　すぐに
あかるい　こえで、

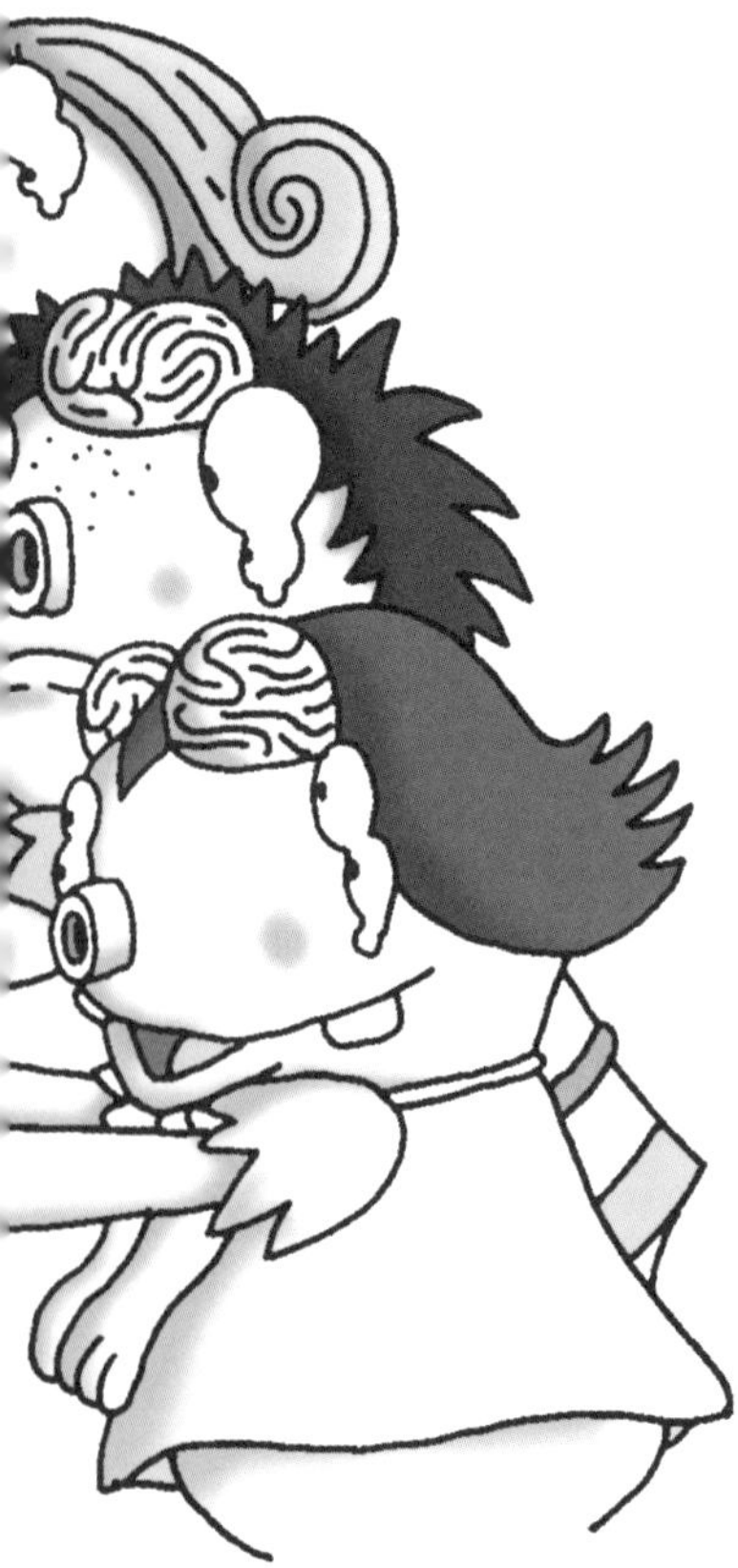

「うちゅうせんで　ぼくんちの　うえを
とおってよ。ぼくんちは　マンション《まんしょん》で、
おくじょうが　あるんだ。ぼく、
おくじょうで　てを　ふるから。」
「うん。わかった。」
「やくそくだよ。」
「うん。やくそく
するよ。」

「きっとだね。」
「うん。
きっとだよ。」

そとに　でた
みっくんは、こうせんで
もとどおりの　おおきさに
してもらい、　いえに　かえりました。

そして、そのばん、
ジリリリリリリリ
はっ、もう十二《じゅうに》じだ！

ぬきあし、さしあし、しのびあし。

まだかなあ

しばらく　そらを
みあげていると、

とつぜん、まうえに
うちゅうせんが――。
「チッティ《ちってぃ》、バイバイ《ばいばい》。
みんな、げんきでね。」
みっくんは、おおきく てを ふりました。
うちゅうせんも、
あいさつを
かえしてきました。

DOKKAL
coff
DoKKAL
バイバイミックンゲンキデ

そのころ、
まちの
あちこちで、
じどうはんばいきが
ちじょうを　はなれ
はじめました。

の、のみすぎ?
K★PPORE
SOFTDRINKS

SAPPORO
SOFT DRINKS
Yakult

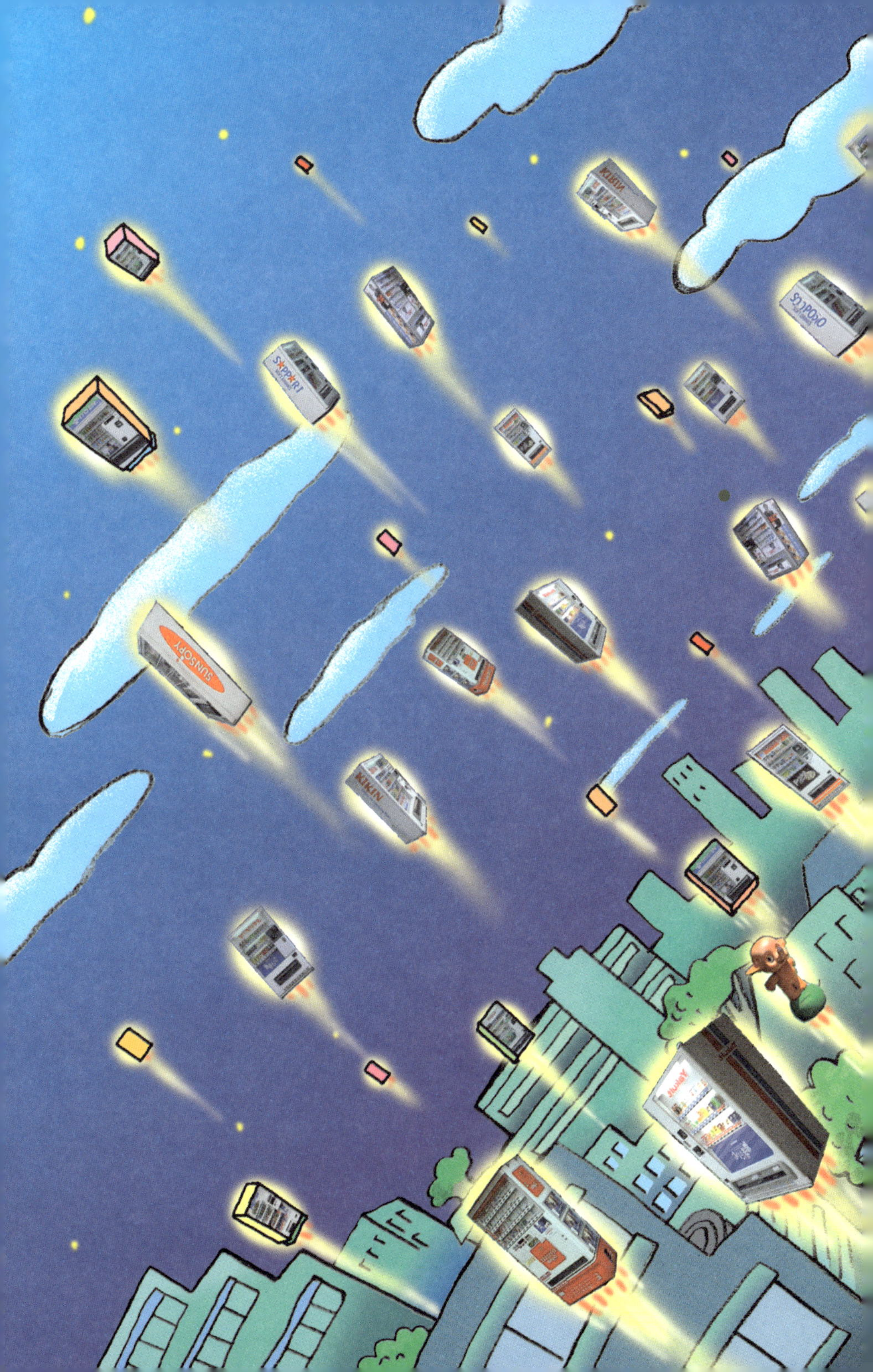
SUNSORY
KIKIN

作者　さとう まきこ

1947年、東京都に生まれる。上智大学仏文科中退。『絵にかくとへんな家』（あかね書房）で日本児童文学者協会新人賞を、『ハッピーバースデー』（あかね書房）で野間児童文芸推奨作品賞を、『４つの初めての物語』（ポプラ社）で日本児童文学者協会賞を受賞。そのほか主な作品に『犬と私の10の約束　バニラとみもの物語』、『14歳のノクターン』（ともにポプラ社）、『宇宙人のいる教室』（金の星社）、『ぼくらの輪廻転生』（角川書店）、『９月０日大冒険』、『千の種のわたしへ ―不思議な訪問者』（ともに偕成社）、『ぼくのミラクルドラゴンばあちゃん』（小峰書店）などがある。

画家　原ゆたか（はら ゆたか）

1953年、熊本県に生まれる。1974年、ＫＦＳコンテスト・講談社児童図書部門賞受賞。主な作品に「かいけつゾロリ」シリーズ、「ほうれんそうマン」シリーズ、「イシシとノシシのスッポコペッポコへんてこ話」シリーズ、『サンタクロース一年生』（ともにポプラ社）、「プカプカチョコレー島」シリーズ（あかね書房）、「にんじゃざむらいガムチョコバナナ」シリーズ、「ザックのふしぎたいけんノート」シリーズ（ともにKADOKAWA）などがある。

どっきん！が いっぱい 3

なぞの じどうはんばいき　　ISBN978-4-251-04323-8

発　行＊2016年1月初版　2017年7月第3刷　　NDC913　87p　22cm

作　者＊さとうまきこ　　画　家＊原ゆたか

発行者＊岡本光晴

発行所＊株式会社 あかね書房　〒101-0065　東京都千代田区西神田3-2-1

電話 03-3263-0641（営業）　03-3263-0644（編集）

印刷所＊株式会社 精興社　写植所＊田下フォト・タイプ　製本所＊株式会社 ブックアート

じどうはんばいきがた うちゅうせんの みわけかた

☆こんな じどうはんばいきは あやしい

①あまり ひとどおりの ない ばしょに おいて ある じどう はんばいき。

②ときどき いどう するので きのう みた いちと ちがう ところに ある じどうはんばいき。

③とつぜん おかれた じどうはんばいき。

なお たばこの じどうはんばいきに ばけた うちゅうせんを みた れいも ほうこく されている。

そのほか うちゅうせんが かいぞう されて いると かんがえ られるもの。

●やっきょく などの みせさきに ある にんぎょう。

●とこやの かんばん。

●ゲーム・センターの プリクラ など。